Y0-CCE-802

글 선자은

사람들을 웃고 울리는 최고의 이야기꾼이 되고 싶어 대학에서 소설을 공부하고, 어린이책작가교실에서 동화를 공부했어요. 지은 책으로는 그림책 《철부지 형제의 제사상 차리기》 《세상을 구한 활》, 동화 《게임왕》 《예쁜 얼굴 팝니다》, 청소년 소설 《펜더가 우는 밤》 《엘리스 월드》 《제2우주》 등이 있어요. 《펜더가 우는 밤》으로 제1회 살림 청소년 문학상을 받았습니다.

그림 차정인

혼자 꼬무락거리고 노는 것을 좋아해요. 그림을 그리고, 글도 쓰고, 프린트해서 책도 만들고, 뜨개질도 하고, 인형도 만들어요. 그렇게 만든 작품들은 전시를 하거나 책으로 내기도 해요. 사랑하는 두 딸은 엄마가 그린 그림책 보며 어느새 훌쩍 컸어요. 앞으로 손주들이 볼 책을 만드는 할머니가 되고 싶어요. 《나 너 좋아해》 《오리 할머니와 말하는 알》 등에 그림을 그렸어요.

우리 날 그림책 04 추석 **달이네 추석맞이**

첫판 1쇄 펴낸날 2013년 8월 26일 | **2쇄 펴낸날** 2013년 9월 12일 | **글** 선자은 | **그림** 차정인 | **발행인** 김혜경 | **편집인** 김수진 | **주니어 본부장** 박창희 | **책임편집** 송지현 | **편집** 박현숙 김솔미 최현정 길유진 김민희 | **디자인** 전윤정 권은숙 심아경 | **마케팅** 정주열 정지연 | **고문** 신상욱 | **경영지원국장** 안정숙 | **제작** 강신은 | **회계** 임옥희 양여진 신미진 | **펴낸곳** (주)도서출판 푸른숲 | **출판등록** 2002년 7월 5일 제 406-2003-032호 | **주소** 경기도 파주시 회동길 57-9 파주출판도시 푸른숲 빌딩, 우편번호 413-120 | **전화** 031)955-1410 | **팩스** 031)955-1405 | **홈페이지** www.prunsoop.co.kr | **카페** cafe.naver.com/prunsoop | ⓒ푸른숲주니어, 2013 | ISBN 978-89-7184-982-8 (77810) 978-89-7184-926-2 (세트)

잘못된 책은 구입하신 서점에서 바꾸어 드립니다. 본서의 반품 기한은 2018년 9월 30일까지입니다.
이 도서의 국립중앙도서관 출판시도서목록(CIP)은 e-CIP 홈페이지 (http://www.nl.go.kr/cip.php)에서 이용하실 수 있습니다. (CIP제어번호:2013014544)

푸른숲주니어는 푸른숲의 유아·어린이·청소년 책 브랜드입니다.

달이네 추석맞이

선자은 글 · 차정인 그림

푸른숲주니어

"할머니~!"

할머니랑 큰집 식구들이 모두 마중을 나왔어요.

"아이고, 달이 왔구나!"

할머니가 달이를 꼭 안아 주었어요.

"꼬맹이 왔구나! 오빠랑 놀자."

큰집 아들 해준이는 달이랑 나이가 똑같아요.

그런데 키가 좀 크다고 달이만 보면 으스대요.

"오빠는 무슨 오빠야?"

달이는 혀를 날름 내밀고 눈을 흘겼어요.

온 가족이 함께
차례 상에 올릴 음식을 준비했어요.
지글지글 전을 부치고,
오물조물 나물도 무치고,
보글보글 탕도 끓였어요.

달이는 엄마 옆에 앉아서
전에 밀가루를 입히고 달걀 물을 묻혔어요.
해준이는 일을 도와주기는커녕
까불대며 훼방만 놓았지요.
"해준아, 음식에 먼지 떨어진다.
저리 가서 놀아라."

“우아, 이게 뭐지?”

집 안을 뛰어다니던 해준이가 벽에 걸린 곡식 다발을 잡아당겼어요.

“아서라! 올게심니 떨어질라.”

할머니가 깜짝 놀라며 달려왔어요.

“올게심니요?”

“올게심니는 올해 처음 거둔 곡식을 묶은 다발이야.

다음 해 풍년을 바라면서 방문에 걸어 두는 거란다.”

하마터면 내년 농사를 다 망칠 뻔했어요.

해준이는 정말 못 말리는 말썽꾸러기예요.

저녁이 되자, 다 같이 모여 송편을 만들었어요.
"나는 엄청 크게 만들어야지!"
해준이는 왕송편을 빚었어요.
달이도 해준이에게 질세라
반죽을 한 움큼 떼어 냈어요.

할머니가 달이와 해준이에게 말했어요.

“얘들아, 송편을 예쁘게 빚으면 이다음에 예쁜 아기를 낳는단다.”

해준이 송편은 울퉁불퉁 못생겼어요.

달이는 송편 끝을 손으로 꼭꼭 눌러 예쁜 반달 모양을 만들었어요.

한가위 날 아침,
달이는 일어나자마자 알록달록 색동 한복으로 갈아입었어요.
“우리 달이, 꼭 새색시처럼 곱구나!”
달이는 할머니 칭찬을 들으니 기분이 좋았어요.

어른들은 아침부터 차례를 준비하느라 바빴어요.
달이는 전이랑 나물을 담은 그릇을 날랐어요.
과일이 쏟아지지 않게 조심조심 걸었지요.
“꼬맹아, 이 오빠가 도와줄게.”
해준이가 까불대며 달이가 든 과일 그릇을 낚아챘어요.

우당탕!

사과들이 바닥에 떨어져 데굴데굴 굴렀어요.

"이 녀석, 얌전히 좀 굴어라."

해준이는 할머니께 꾸중을 듣고 나서야 얌전해졌어요.

정성스레 준비한 음식들로 차례 상이 차려졌어요.

큰아빠와 아빠가 술을 올리고 절을 했어요.

달이와 해준이도 따라서 넙죽 절을 했어요.

절을 하다 보니,

돌아가신 할아버지가 보고 싶었어요.

아침을 먹고 나서 달이네 가족 모두 성묘를 갔어요.

산에 올라가니, 조상님들 묘가 나란히 모여 있었어요.

"벌초를 해서 묘가 깨끗하구나!"

할머니가 활짝 웃으며 말했어요.

아빠는 돌로 된 상 위에 햇과일이랑 송편, 포, 식혜를 올렸어요.

"자, 다 같이 인사드리자꾸나."

온 가족이 조상님들 묘에 차례대로 절을 했어요.

그리고 송편과 과일을 먹으며 도란도란 이야기를 나누었어요.

"할아버지가 달이랑 해준이가 이만큼 큰 걸 보고 깜짝 놀라셨을 거다."

할머니도 할아버지가 보고 싶은가 봐요.

산을 내려오는데, 멀리서 풍물 소리가 들렸어요.

"저기 좀 봐!"

달이와 해준이는 누가 먼저랄 것도 없이 한달음에 달려갔어요.

댕! 징 소리와 함께 씨름판이 벌어졌어요.

키가 작은 청샅바 아저씨와 키가 큰 홍샅바 아저씨가 겨루었지요.

"에이, 보나마나 키가 큰 아저씨가 이기지!"

달이는 해준이 말에 공연히 화가 났어요.

"해 봐야 알지! 청샅바, 이겨라!"

달이는 목이 터져라 청샅바 아저씨를 응원했어요.

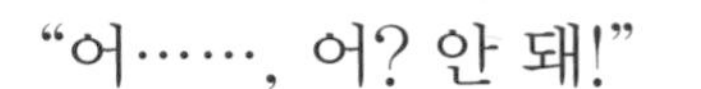

"어……, 어? 안 돼!"

청샅바 아저씨가 비틀거리는가 싶더니 잽싸게 다리를 걸었어요.

으라차차! 홍샅바 아저씨가 모랫바닥에 털버덕 주저앉았어요.

"야호, 이겼다!"

달이는 신이 나서 펄쩍 뛰었어요.

"이제 줄다리기를 시작합니다!"
누군가 외치자, 사람들이 우르르 몰려갔어요.
사람들은 양쪽으로 나뉘어 굵은 밧줄을 잡았어요.
달이랑 해준이도 서로 반대편에 섰어요.

"삑!"

호루라기 소리와 함께 모두 줄을 힘껏 잡아당겼어요.

"영차, 영차!"

사람들은 구령에 맞춰 줄을 당겼어요.

달이도 온 힘을 다해 줄을 당겼지요.

어, 어, 그런데 달이네 편이 질질 끌려가는 거예요.

"와, 이겼다!"

해준이가 팔짝팔짝 뛰며 좋아했어요.

“난 집에 갈래!”

달이는 괜히 심술이 나서 집으로 와 버렸어요.

“우리 달이, 예쁜 입이 왜 그리
오리 주둥이처럼 나왔나?”
할머니가 빨갛게 익은 감을 깎아 주었어요.
달콤한 감을 먹고 나니 기분이 좋아졌어요.
달이는 할머니 무릎을 베고 누워
스르르 잠이 들었어요.

꿈속에서 달이는 키가 엄청 커졌어요.
하늘에 뜬 달에 손이 닿을 정도였지요.
해준이는 강아지처럼 작았어요.
달이가 해준이를 톡톡 건드리자,
해준이는 약이 올라 팔짝팔짝 뛰었어요.

"꼬맹아, 달맞이하러 가자!"
해준이가 큰 소리로 부르며 문을 벌컥 열었어요.
그 바람에 달이가 잠에서 깼어요.
달이는 가족들을 따라 마을 뒤 동산으로 올라갔어요.

뒷동산에는 동네 사람들이 와글와글 모여 있었어요.
까만 하늘에 노란 달이 휘영청 밝게 떠 있었지요.
"더도 말고 덜도 말고 한가위만 같아라."
아빠가 달을 보며 말했어요.
"우리 가족 모두 건강하게 해 주세요."
할머니와 엄마는 똑같은 소원을 빌었어요.
달이도 마음속으로 소원을 빌었어요.
'달님, 쑥쑥 자라서 키 크게 해 주세요.'

"어?"

눈을 뜨니 달이 그림자가 엄청나게 길었어요.

달님이 벌써 달이 소원을 들어줬나 봐요.

"달이야, 어서 오렴. 강강술래 하자!"
엄마가 달이를 불렀어요.
"네~."
달이는 얼른 달려가
사람들과 손에 손을 잡고 빙글빙글 돌았어요.
"강강술래~, 강강술래~."

추석

추석은 대표적인 우리의 명절로 음력 8월 15일이에요. '한가위', '가위', '가배', '중추절'이라고도 해요. 이날은 가족은 물론이고, 온 마을 사람들과 함께 수확의 기쁨을 나누고 풍년을 기원하는 날이에요. 추석에는 그동안 멀리 떨어져 지내던 가족이 오랜만에 한데 모여요. 온 가족이 함께 차례 상에 올릴 음식을 준비하고, 송편도 빚지요. 송편은 멥쌀가루를 반죽하여 팥, 콩, 밤, 대추, 깨 등으로 소를 넣고 반달이나 모시조개 모양으로 빚어서 찐 떡이에요. 옛 어른들은 송편을 예쁘게 빚으면 예쁜 딸을 낳는다고 여겼는데, 그래서 더욱 정성스럽게 떡을 빚었어요.

추석날 아침에는 햇곡식과 햇과일로 조상님께 차례를 지내고, 성묘를 해요. 성묘하기 전에는 미리 벌초를 해요. 벌초는 여름 내내 길게 자라서 산소를 뒤덮고 있는 잡풀을 베어 내는 것이에요. 우리 민족은 조상의 산소를 찾아가 깨끗하게 정리하고 돌보는 것을 매우 중요하게 생각했어요. 이렇게 함으로써 조상에 대한 감사와 예의를 표시하는 것이라고 생각했거든요.

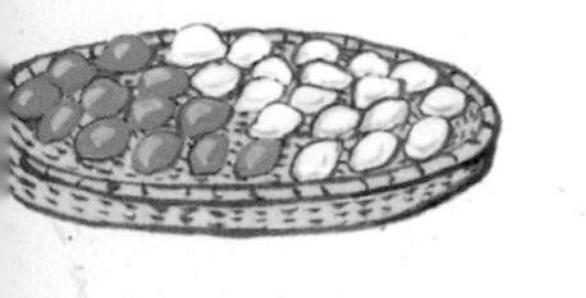

더도 말고 덜도 말고 한가위만 같아라

추석 즈음에는 산과 들에 노랗고 빨갛게 익은 햇곡식과 햇과일이 가득해 먹을 것이 풍부해요. 우리 조상들은 오래전부터 "더도 말고 덜도 말고 한가위만 같아라."고 말하며, 풍요롭고 행복한 추석을 노래했어요. 또 이듬해 풍년을 바라는 마음으로 '올게심니'를 하기도 했지요. 올게심니는 그해 거둔 곡식 가운데 가장 잘 여문 곡식을 골라 한데 묶어 기둥이나 벽에 걸어 두는 풍습이에요. 올게심니한 곡식은 다음 해 떡을 해 먹거나 농사에 쓰일 씨앗으로 썼어요. 이 때문에 올게심니한 곡식은 아무리 어려워도 절대로 먹지 않았지요. 올게심니 풍습에는 풍요로운 미래를 위해 준비를 게을리하지 않았던 조상들의 지혜가 담겨 있어요.

얼쑤, 흥겨움이 가득한 추석 놀이

추석 때에는 누구나 신 나게 즐길 수 있는 놀이가 많았어요.

'길쌈'은 실을 내어 옷감을 짜는 것이에요. 신라 시대에 여인들이 두 패로 나뉘어 길쌈 경기를 해서 진 편이 이긴 편에게 큰 잔치를 열어 주었어요. 이 잔치를 '가배'라고 하는데, 이것이 추석의 시작이라고도 해요. 이후에도 길쌈은 추석 때마다 여인들이 모두 모여 함께 즐기는 놀이로 이어져 내려왔어요.

'씨름'은 두 사람이 샅바를 잡고 힘과 기술을 써 상대방을 먼저 넘어뜨리는 것으로 승부를 겨루는 우리 고유의 운동이에요. 씨름은 어른, 아이, 남자, 여자 할 것 없이 누구나 어디서든 쉽게 할 수 있어 오늘날까지 사랑받으며 이어져 오고 있어요.

'줄다리기'는 편을 나누어 양쪽에서 긴 줄을 당기는 놀이예요. 줄다리기는 줄을 만드는 것에서부터 시작해요. 마을 사람들은 집집마다 짚단을 모으고, 그것을 꼬고 묶어서 길고 굵은 줄을 만들었지요. 편을 나눈 사람들이 양쪽에서 줄을 당겨서, 잡아당긴 쪽이 이기는 놀이예요. 줄다리기에서 이기는 편이 풍년이 든다고 믿었기 때문에 영차영차 더욱 열심히 줄을 당겼답니다.

추석날 밤, 둥근 보름달이 둥실 떠오르면 사람들은 달님에게 가족의 건강이나 풍년과 같은 소원을 빌었어요. 또 여자들은 환한 달빛 아래에서 춤추고 즐겁게 놀았지요. '강강술래'는 여자들이 함께 손에 손을 잡고 원을 그리며 빙빙 돌면서 춤을 추고 노래를 부르는 놀이예요. 강강술래에는 매우 다양한 형태의 노래와 춤이 있고, 지역마다 다르기도 해요. '덕석몰이'와 '덕석풀이'는 달팽이처럼 안으로 감아들었다가 다시 푸는 동작이고, '남생이 놀이'는 노래에 맞춰 춤을 추는 것이에요. 강강술래는 유네스코 세계 무형 유산으로도 지정되어 세계적으로도 그 가치를 인정받았답니다.